Kerstfeest

Jektje Geerligs

Kerstfeest 1979

Jektje Geerligs.

# MET Z'N ZESSEN AAN ZEE

© Copyright J. N. Voorhoeve, Den Haag

Omslag en illustraties: A. D. Dekkers

ISBN 90 297 0491 8

WIENEKE GELDOF

# Met z'n zessen aan zee

J. N. VOORHOEVE - DEN HAAG

## 1.  *Het is bijna vakantie!*

Het was rumoerig op het plein voor de kleine dorpsschool. Dat was ook geen wonder, want het was enkele dagen voor de grote zomervakantie. Er stonden veel groepjes kinderen, die druk door elkaar heen schreeuwden.

„Ik ga lekker naar Zwitserland!" riep Christientje trots. De meisjes, die om haar heen stonden, keken haar vol ontzag aan.

„Wat leuk, zeg! Zo ver ben ik nog nooit geweest!"

„Ik ook niet!"

„Nee, ik ook niet!" riepen de andere meisjes.

„Nee, maar wij gaan naar Oostkapelle, naar zee, en dat is óók fijn!" vond Joke, een klein, blond meisje. Haar twee vriendinnen vielen haar bij.

„Ja, Joke, Loesje en ik mogen bij mijn tante logeren, die dicht bij het strand woont. Leuk, hè?" vertelde Marion verder. Christientje haalde haar schouders op. „Niks aan, hoor. Naar het buitenland is veel leuker!" hield ze vol.

De bel luidde. De meisjes gingen naar binnen. „Ik vind dat Christientje niet zo moet opscheppen!" vond Joke. Loesje gaf haar gelijk.

Ze hingen hun jassen op aan de kapstokjes in de gang en gingen het klaslokaal binnen. De meester zat al achter zijn buro.

Om twaalf uur wandelde Christientje naar huis, samen met Loesje, die dicht bij haar woonde. „Zo meteen ga ik met mijn moeder bergschoenen kopen, want die heb je echt wel nodig in Zwitserland. Volgende week ga ik er al heen!" zei ze trots en vervolgde: „Ik zou het niks leuk vinden om in Nederland te blijven! Tegenwoordig gaat iedereen naar het buitenland." Loesje zei niks. „Laat ze maar opscheppen," dacht ze. „Ik vind naar zee gaan wèl leuk!" Ze sloeg de zijstraat in waar ze woonde en riep: „Dag, Christien! Tot morgen!"

„Dag, hoor!" groette Christientje terug. Loesje ging naar huis. Haar moeder was in de keuken bezig met het eten te koken.

„Hm, dat ruikt lekker!" vond Loesje en lichtte het deksel van de pan op. „Ha, doperwtjes!" lachte ze.

„Zeg, zou je mij niet begroeten? Of is alleen eten belangrijk tegenwoordig!" zei moeder, terwijl ze met een quasi boos gezicht naar haar dochter keek. Maar haar ogen lachten.

„Hallo, mams. Zal ik even tafel dekken?" bood Loesje braaf aan.

„Ja, doe dat maar!" zei moeder vriendelijk.

In de huiskamer zag Loesje haar twee zusjes en haar broertje spelen. Dat deed haar aan Christientje denken, die helemaal geen zusjes of broertjes had ... Niet leuk voor haar ... Loesje had wel eens ruzie met haar broertje of zusjes, maar toch zou ze ze voor geen goud willen missen!

Ze zette de bordjes op tafel en ging naar de kast om het bestek te halen. Vader zou zo wel thuis komen; hij werkte op een kantoor, dat niet ver uit de buurt lag.

„Loes, ga jij met mij spelen?" vroeg Carola, het zusje van Loes, dat met haar vijf jaren al een echt poppenmoedertje was. Ze drukte Loes één van haar poppen in de armen en pakte zelf haar grootste pop. Lang konden ze niet spelen, want vader kwam thuis en ze moesten eten.

Het was woensdag, en dus hoefde Loesje 's middags niet naar school. Omdat ze geen huiswerk op had gekregen, ging ze naar Marion toe. De moeder van Marion liet haar binnen. „Ga maar naar Marion toe, ze is boven. Joke is er ook al."

Vlug liep Loesje de smalle trap op en opende een deur. „Hallo!" begroette ze haar vriendinnen.
„Dag, trek je jas maar uit en doe mee met ons!" nodigde Joke uit. En Marion vulde aan: „We zijn een lijst aan het maken van spullen die we mee moeten nemen naar zee!"
Loesje ging naast haar twee vriendinnen op de grond zitten en sloeg haar armen om haar benen. Ze bekeek de lijst.
Opeens vroeg ze: „Hoe heet jouw tante eigenlijk, bij wie we gaan logeren, Marion? Dat weet ik nog niet eens!"
Marion stond op en haalde een fotoalbum uit de kast. Ze bladerde er in en wees toen een foto aan, waar een dame en twee honden op stonden.
„Kijk, dit is mijn tante. Ze heet Suzanne, maar we noemen haar altijd tante Suus. Ze is nog niet getrouwd, maar ze heeft wel twee honden, een kleine en een grote. Ze heten Roetje en Bruno."
Joke schudde haar blonde paardestaarten naar achteren en bekende: „Ik ben eigenlijk wel een beetje bang voor honden . . ."
Loesje lachte haar uit. „Welnee! Ik heb altijd al een hond willen hebben, maar jammer genoeg heb ik er nooit één gekregen!"
„Dan kun je bij mijn tante je hart ophalen!" zei Marion. „Maar laten we nu verder gaan met de lijst. Hoeveel hebben we al opgeschreven?"
De drie meisjes lachten en praatten en het werd een gezellige middag voor hen.

Voor Christientje werd het niet zo'n fijne middag. Toen ze om twaalf uur uit school kwam, trof ze haar moeder thuis in bed aan. Haar vader was ook thuis en praatte met dokter Van der Zee, de vader van Marion.
„Wat is er gebeurd? O, papa, wat is er!" riep ze zenuwachtig en holde naar haar vader.
„Christientje . . . De laatste tijd voelde moeder zich niet goed

en vanmorgen is ze in elkaar gezakt. Gelukkig heeft ze de buurvrouw nog kunnen waarschuwen..."

„Maar papa, wat is er dan met mama? Mag ik naar haar toe?"

„Mama heeft weer last van astma en daarom gaat ze over een poosje naar een sanatorium in de bossen om te kuren," zei vader en de rimpels in zijn gezicht trokken samen.

De dokter, die al die tijd had staan wachten, maakte aanstalten om weg te gaan. Hij knikte Christientje vriendelijk toe en nam afscheid van meneer Vermeulen, Christientjes vader.

„Dag meneer. Misschien kom ik vanavond nog even, of anders morgen wel..."

Hij zag dat vader maar half luisterde. Hij gaf hem een klopje op zijn schouder en zei: „U moet op God vertrouwen. Wij doen al het mogelijke om uw vrouw beter te maken. Daar kunt u ook iets aan bijdragen, namelijk door niet te zitten tobben, maar uw vrouw moed in te spreken. En als u dan beiden oprecht bidt om genezing zal God die op Zijn tijd en Zijn wijze geven. Aan astma is echt heel veel te doen. Er is geen levensgevaar bij en in het sanatorium is goede verpleging. De boslucht die daar is heeft uw vrouw nodig."

„Ja, ja, natuurlijk," zei vader verstrooid. En plotseling zei hij: „Maar weet u, Christientje kan niet zonder moeder. Wij waren van plan om een week of drie naar Zwitserland te gaan. Dat zou óók goed voor mama geweest zijn. Maar nu ze naar een sanatorium gaat wil ik daar graag in de buurt zijn en..."

„Kan dat dan?" vroeg de dokter, terwijl hij zijn regenjas dichtknoopte.

„Ja, want de zaak waar ik werk heeft een bijkantoor in Apeldoorn. Ik ga daar elk jaar een paar weken werken. Inventariseren en de boekhouding bijwerken en zo."

„Nou, dat komt dan toch mooi uit? Logeert u dan bij een kennis?"

8

„Ja, bij de chef die daar woont. Maar echt, dat is voor Christientje niets. Er zijn geen kinderen in huis en overdag ben ik weg en 's avonds moet ik vaak nog verslagen opmaken."

Dokter van der Zee schudde zijn hoofd.

„Misschien kom ik nog wel op een idee. Maar nu moet ik vertrekken. Dag meneer Vermeulen!"

„Dag dokter, en bedankt voor uw gesprek!"

Christientje hoorde de deur dichtslaan. Haar bruine ogen stonden vol tranen.

Vader kwam de grote zitkamer weer binnen en stak een sigaar op.

„Ik ga naar mama toe," zei Christientje. Ze liep de kamer uit en ging naar haar moeder.

„O, mama!" snikte ze en sloeg haar armen om de hals van haar moeder. Ze bemerkte nu pas hoe mager en wit moeder er de laatste tijd uit zag. Het zwarte haar lag slordig op het witte, kraakheldere kussen.

„Heb je al gegeten?" vroeg moeder.

Christientje glimlachte. Dat was nou echt moeder! Altijd bezorgd om haar.

„Nee, maar ik heb geen honger. Heeft u pijn, mam?"

„Nee, maar als ik ademhaal heb ik het vaak erg benauwd..." zei moeder hijgend.

„Papa gaat weer in Apeldoorn werken."

„Heeft hij je dat verteld?"

„Nee, maar ik hoorde het hem tegen Marions vader zeggen. O, ik vind alles zo naar! Waar moet ik heen in de vakantie? Ik had me zo verheugd op de reis naar Zwitserland. Marion, Loesje en Joke gaan naar Zeeland, bij een tante logeren. Ik zei tegen hen, dat ik nooit mee zou willen, maar... dat is helemaal niet zo!"

Tranen rolden over haar gezichtje. Moeder trok haar naar zich toe.

„Stil maar. Je weet toch dat dit Gods wil is? Hij weet wat goed voor ons is. Soms lijkt het niet zo, maar naderhand blijkt het vaak van wel!"

Christientje boog het hoofd. Moeder streelde haar zwarte haar.

Het meisje ging naar beneden en maakte een boterhammetje voor vader en voor zichzelf klaar. Met lange tanden at ze. In geen tijden wat ze zó verdrietig geweest!

## 2. *Een oplossing*

De vader van Marion, dokter Van der Zee, dacht de hele verdere middag aan Christientje. Waar zou ze goed onderdak kunnen krijgen? Hij wist dat ze verder geen familie had, dan een oude oma die in een bejaardentehuis woonde, en een oude tante, die helemaal niet van kinderen hield.

's Avonds aan tafel sprak hij erover met zijn vrouw. Marion, die aandachtig luisterde, was geschokt. Ze had medelijden met Christientje. Ze kon natuurlijk wel eens kattig en hooghartig doen, maar was ze zelf dan wel zoveel beter?

„Ik zou ook geen oplossing weten . . ." zuchtte haar moeder. Plotseling hoorde Marion zichzelf zeggen: „Maar waarom gaat Christientje dan niet met ons mee, naar Oostkapelle? Dat kan toch best!"

Haar moeder was direct enthousiast. „Dat zou een prima oplossing zijn! Alleen . . . ik dacht dat je niet zo goed kon opschieten met dat meisje? En . . . je zei vanmiddag toch nog dat ze zo minachtend gedaan had over jullie vakantie?"

Marion zuchtte. Het wàs zo.

„Als ze meegaat, ziet ze van zelf dat het in Nederland net zo leuk kan zijn als in het buitenland!" merkte vader op.

Moeder lachte en zei: „Je hebt gelijk. Ga zo meteen maar even naar de familie Vermeulen toe! Ik denk niet dat tante Suus op een meisje meer of minder zal kijken!"

Marion hoopte maar dat Joke en Loesje het niet vervelend zouden vinden, dat Christientje nu mee zou gaan. Ze besloot om na het eten nog even bij hen langs te gaan. Vader had de Bijbel gepakt en las een stukje voor uit Mattheüs. Hij las:

„Jezus zegent de kinderen. En zij brachten kinderen tot Hem, opdat Hij ze zou aanraken. En de discipelen bestraften hen die ze tot Hem brachten. Maar Jezus dat ziende nam het zeer kwalijk en zeide tot hen: Laat de kinderen tot Mij komen en verhindert ze niet; want derzulken is het Koninkrijk Gods. Voorwaar zeg Ik u: Wie het Koninkrijk Gods niet ontvangt gelijk een kind, die zal in hetzelve geenszins ingaan. En Hij omving ze met Zijne armen en de handen op hen gelegd hebbende zegende Hij hen."

Marion vond dat één van de mooiste stukjes uit de Bijbel. Soms las moeder uit de Bijbel, maar alleen wanneer vader weg was. Vader had een drukke praktijk als dokter. Soms werd hij 's avonds laat uit bed gebeld door patiënten. Toch was het een mooi beroep. Marion zat zo voor zich uit te dromen, dat ze de rest van wat vader las niet gehoord had. Een beetje beschaamd vouwde ze haar handen en legde ze in haar schoot. Na het dankgebed ging vader naar meneer Vermeulen en Marion ging nog eventjes naar haar vriendinnetjes.


Christientje luisterde aandachtig naar wat dokter Van der Zee vertelde. „Ik zou een goed onderdak voor Christientje weten, maar ik weet niet of ze het leuk vindt ..."

De dokter keek naar Christientje. „Eh ... vertelt u maar verder!" zei ze haastig terug.

Meneer van der Zee kwam met zijn plan voor de dag. Christientje knipperde met haar ogen. Hoorde ze het goed? Mocht ze mee naar Oostkapelle? Maar ... maar dat zou geweldig zijn! Hoewel ... ze had over deze vakantie zo minachtend gedaan, en Joke, Loesje en Marion wilden vast niet, dat ze meeging ...

„Wat zeggen jullie er van?" vroeg Marions vader en keek met spanning naar de twee gezichten voor hem.

„Ik ... ik ... vind het fantastisch! Ik weet er geen woorden voor!" zei vader.

Christientjes lippen trilden verdacht. „O, dokter, weet u, ik heb gezegd dat ik niks aan een vakantie aan zee vond. Natuurlijk meende ik het niet. Ik zou dolgraag mee willen! Ik weet alleen niet of Marion, Loesje en Joke het leuk zullen vinden wanneer ik meega! Dat zal wel niet..."

De dokter lachte. „O, dat zit wel goed, hoor! Marion heeft zelf voorgesteld dat je mee zou gaan!"

„O, wat fijn, ik ga het meteen aan mama vertellen!" riep Christientje verheugd, terwijl ze naar boven rende.

„Mam, mam, weet u het al? Ik ga mee met Joke, Loesje en Marion! Is dat niet fijn?"

Haar moeder lachte. „Wat is dat een verrassing! Je mag de dokter wel eens gauw bedanken! Of heb je dat al gedaan?"

Christientje schrok. „Helemaal vergeten!" Ze ging direct naar beneden en liep naar de dokter, die op het punt stond om te vertrekken. „Heel hartelijk bedankt, meneer!"

Hij glimlachte om het glunderende gezichtje en nam afscheid. Christientje ging direct naar bed, want het was ondertussen al erg laat geworden. Ze vergat niet te bidden. „Ik heb dit helemaal niet verdiend, Here. Dank U voor deze fijne oplossing!" fluisterde ze en viel toen in slaap, vermoeid van alle gebeurtenissen die die dag waren gebeurd.

Om zeven uur belde Marion bij Joke aan. De deur werd opengedaan door een broertje van haar. „Joke is in de kamer," zei hij. Marion liep door naar de huiskamer.

„Wat kom jij nog zo laat doen?" vroeg Joke verbaasd.

„Ja, dat is een lang verhaal," antwoordde Marion geheimzinnig. „Maar het gaat over onze vakantie. Christientjes moeder moet naar een ziekenhuis in de vakantie en haar vader gaat mee. Nu kan hun vakantie naar Zwitserland niet doorgaan..."

„Ha, lekker! Net goed voor dat verwaande kind! Had ze maar niet zo moeten opscheppen!" flapte Joke eruit.

Marion keek een beetje teleurgesteld. Maar ze ging verder met haar verhaal. „Ik weet dit allemaal van mijn vader. Die komt namelijk als dokter bij Christientje thuis. Toen mijn vader zei, dat haar moeder weg ging en haar vader ook, heb ik voorgesteld om Christientje mee te nemen met ons, naar mijn tante. Christientje kan nergens anders ondergebracht worden, want ze heeft alleen maar heel oude familieleden."

„Oh, hoe heb je dàt nou kunnen doen! Bah, dat vervelende kind zal onze hele vakantie bederven, met haar verwaande opschepperij!"

„Dat had ik niet van jou gedacht, dat je zó zou reageren!" zei Marion kalm. „Ik heb medelijden met haar. Ik zou me geen raad weten, als mìjn moeder naar het ziekenhuis moest. Bovendien heeft ze nu haar lesje wel geleerd, dacht ik. Je weet toch wel dat Christientje enig kind is? Nou, dat lijkt mij ook niet zo leuk. Ze is natuurlijk wel een beetje verwend, maar . . ."

Marion brak haar zin af. Joke zat een beetje beteuterd voor zich uit te kijken. Plotseling zei ze spontaan: „Je hebt gelijk, Marion. Het spijt me. Maar ik was zo kwaad toen Christientje zo opschepte. Ik hoop maar, dat ze aardig doet . . ."

„O, daar twijfel ik niet aan, dat weet ik wel zeker. Maar ik wil Loesje ook nog even vertellen, dat Christientje meegaat. Loop je met me mee?"

Joke ging mee. Loesje had gelukkig geen bezwaren. „Hoe meer zielen, hoe meer vreugd!" vond ze.

Opgelucht ging Marion naar huis. Ze had geweldig veel zin in de komende vakantie! Het zou vast en zeker fijn worden!

## 3. Naar Zeeland

Het was eind juni en verschrikkelijk warm. In de vijfde klas van de kleine dorpsschool heerste een grote spanning. Dat was niet zo verwonderlijk, want elk moment kon het hoofd van de school binnenstappen met de gevreesde rapporten onder zijn arm! Toch had deze middag iets fijns: om vier uur zou de vakantie beginnen!

Vooral Joke zat in de piepzak. Ze twijfelde of ze wel over zou gaan. Ze kon niet zo best leren. Haar vriendinnen hadden geprobeerd haar gerust te stellen, maar het was niet gelukt. Marion kon erg goed leren, ze was de beste uit de klas. Stellig zou ze ook nu een rapport vol achten en negens hebben! Vaak had ze Joke geholpen met haar huiswerk.

Opeens ging de deur open en het forsgebouwde hoofd van de school stapte naar binnen. In zijn handen hield hij de gevreesde, blauwe cijferlijsten geklemd...

Hij begon de rapporten te bespreken in alfabetische volgorde. Joke beet op haar nagels van de spanning. O, waarom begon haar achternaam toch met een B? Nu was ze zo vlug aan de beurt...

„Joke Barendsen!" klonk het. „Je hebt wel enkele onvoldoenden, onder anderen voor Nederlandse taal en geschiedenis, maar je bent in ieder geval over!"

Met knikkende knieën haalde Joke haar rapport. Ze kon haar oren niet geloven! Haar ogen vlogen langs de cijfers. Loesje, haar buurvrouw, gluurde over haar schouders mee. „Valt mee, hè?" fluisterde ze. „Nou! 'k Ben zo blij!" fluisterde Joke verheugd terug.

„Zit niet te praten, terwijl ik spreek!" zei de hoofdmeester streng. Loesje had een vrij goed rapport. Dat van Christientje was iets slechter, maar toch nog voldoende. Marion stond echter ver bovenaan. Haar hele gezicht glunderde!

De hoofdmeester verliet de klas weer. „Als we nu gaan danken, mogen jullie zo meteen naar huis, lekker genieten van de vakantie!" zei de meester. Direct was de hele klas stil. Ook hij had plezier in de vrolijke, blijde kinderen, want er waren dit jaar eens geen zittenblijvers. Iedereen sloot zijn ogen en vouwde eerbiedig zijn handen.

„Vader in de hemel," bad de meester, „wij danken U voor alles wat U voor ons gedaan heeft het afgelopen schooljaar. U heeft ons de talenten gegeven om een goede cijferlijst te behalen. Wilt u met ons zijn in de komende vakantie? En ons bewaren voor al het kwaad? Wij vragen het U om Jezus' wil, amen."

De leerlingen stonden op en verlieten het lokaal. Ze gaven de meester een hand en wensten hem een prettige vakantie. Daarna ging ieder kind naar huis, een fijne vakantie tegemoet . . .

Het was de dag, waarop de vier vriendinnen Christientje, Marion, Loesje en Joke zouden vertrekken. De moeder van Marion, die auto kon rijden, was van plan hen weg te brengen. Er was afgesproken dat ze om negen uur bij Marion bij elkaar zouden komen.

Loesje van Donk, was de eerste die kwam. Ze had een grote, bruin leren koffer bij zich. Het weerbericht had veel zon en weinig wind voorspeld. Zelfs nu het nog vroeg was, was het al behoorlijk warm. Na Loesje kwam Christientje, die weggebracht werd door haar vader in zijn grote, witte Mercedes. De vorige dag was haar moeder naar het sanatorium op de Veluwe gebracht. Christientje nam afscheid van haar vader. Daarna stapte ze uit de auto. Met een harde klap sloeg ze het portier dicht. De auto reed weg, nagewuifd door Chris-

tientje. Marion zette de koffers van Loesje, Christientje en haar zelf in de kofferruimte van het autootje van haar moeder. „Hè, waar blijft Joke toch!" zei Christientje en keek op haar horloge, dat blonk in de zon. „Het is al kwart over negen."
„Ik begrijp er ook niets van!" zei Marions moeder, die naar buiten kwam. Ongeduldig bleven ze op het terrasje wachten, maar er kwam géén Joke opdagen!
„Misschien is ze ziek!" opperde Marion pessimistisch.
„Dan had haar vader of moeder wel even opgebeld, dacht ik," zei haar moeder.
Ze begrepen er niets van.
„Laten we langs Joke rijden, dan kunnen we zien wat er aan de hand is. Ik ben veel te ongeduldig om nog langer te wachten!" stelde Loesje voor.
Dat was een goed plan. Marion liep nog even het huis in om afscheid te nemen van haar vader en Kareltje, haar kleine broertje. Binnen enkele minuten was ze terug. Ze stapte in en direct startte haar moeder de auto. De meisjes vroegen zich af, hoe het toch mogelijk was dat Joke zo laat was. De auto stopte voor de woning van Joke.
„Blijven jullie even in de auto zitten, dan zal ik Joke wel even halen," zei moeder zo opgewekt mogelijk, maar helemaal vrolijk klonk het toch niet. Ze liep naar de voordeur en drukte langzaam, maar dringend op de bel.
Er kwam geen antwoord.
Ze belde nòg eens.
Nog geen antwoord, zelfs geen enkel geluid klonk door het huis. De doktersvrouw belde nòg eens aan, nu harder en langer. Het duurde even, toen ging er boven haar een raam open. Joke stak haar hoofd naar buiten, geeuwde, en zei slaperig: „Er is toch geen brand? We slapen nog!" Toen pas bemerkte ze, dat het de moeder van Marion was, die beneden stond. Verschrikt sloeg ze haar hand voor de mond en riep: „Pardon, mevrouw! Is het al zo laat? Gaan we nu al weg?"

Mevrouw van der Zee lachte. „Ja, het is al half tien geweest, maak je maar gauw klaar, we gaan zo weg. Slaapkop!"

„Ja mevrouw, tot zo!" riep Joke als antwoord en haar hoofd verdween weer door het raam.

Mevrouw van der Zee ging weer terug naar de auto en wachtte daar, samen met de drie meisjes, op Joke. Na ongeveer een kwartier verscheen Joke weer, maar nu door de deur. Ze had een grote weekendtas bij zich. „Het spijt me verschrikkelijk! Maar we hadden ons verslapen!" zei ze verlegen.

„Geeft niet, hoor. Zet je tas hier maar neer en kom vlug binnen," lachte mevrouw hartelijk. Joke nam plaats naast Marions moeder. Ze zwaaiden naar de ouders van Joke, die voor het raam stonden te kijken."

„Hoe kon je je nou verslapen? Ik heb de hele nacht wakker

gelegen van opwinding!" zei Christientje een beetje afkeurend. Joke haalde de schouders op.

Ondertussen waren ze op de grote autoweg gekomen. Marion draaide het raampje open.

„Ik ruik de zeelucht al!" snoof Loesje.

„Ik denk, dat je je vergist en die vieze uitlaatgassen van de auto's ruikt," merkte Christientje op. De zon kwam al hoger aan de hemel te staan. Er waren bijna geen wolken; de lucht was strakblauw. Het was gloeiend heet in de auto.

„Zullen we ergens een verfrissing gaan gebruiken? Het is zo warm!" stelde mevrouw voor.

De meisjes juichten. Marions moeder parkeerde de auto voor een eenvoudig restaurantje. Ze voelden zich allemaal stijf van het lange zitten, toen ze uit de auto kwamen.

Op het terrasje, onder een schaduwgevende parasol, namen ze plaats.

Mevrouw van der Zee bestelde vijf heerlijke ijswafels. Wat smulden ze!

„Hier zou ik wel tien van opkunnen!" dacht Joke. Nadat er afgerekend was, gingen ze weer vlug verder. Bij de Haringvlietbrug moest tolgeld worden betaald. Ze genoten van het mooie uitzicht over het water. Het duurde niet lang meer tot ze in Zeeland waren aangekomen. De grens tussen Zuid-Holland en Zeeland was langs de weg aangegeven met een bord. Links van hen strekte zich een grote watervlakte uit.

„Zo meteen komen we over de langste brug van Nederland, de Zeelandbrug!" vertelde Marion.

„Ik heb een keer gelezen, dat hij zeventien meter hoog is en vijf kilometer lang!" vertelde Loesje. Het was inderdaad een prachtige brug. „Toch wel eng, zo ver boven het water," huiverde Loesje.

„Ja, bij hevige windstoten worden de auto's gewoon opgepakt en in de Oosterschelde geworpen!" plaagde Marion. Loesje schrok.

„Echt waar!" fantaseerde Marion verder. „En ze kunnen er

niet meer uitgehaald worden, daar is het hier veel te diep voor!"

Loesje wist niet wat ze er van moest denken. Christientje had medelijden, en zei: „Nee hoor, dat is niet waar. Je moet niet alles geloven wat iemand zegt!"

Loesje haalde opgelucht adem. Toen de auto op Walcheren aangekomen was, keken de meisjes enthousiast uit naar iemand in de oude, Zeeuwse klederdracht. Ze juichten, wanneer ze er een zagen. Eindelijk bereikten ze Oostkapelle. Het huis van tante Suus, bij wie de meisjes zouden gaan logeren, lag even buiten het dorp, met uitzicht op de duinen en bossen. Hoewel het een klein huisje was, had het een grote tuin.

„Mooi is het hier, hè!" vond Loesje opgetogen. Plotseling verscheen er een grote, bruine hond, die kwispelend op hen toesprong. Joke deed een paar stappen achteruit.

„Je hoeft niet bang te wezen, hij doet niks," zei mevrouw Van der Zee. Marion aaide het beest. Tante Suus kwam naar buiten.

„Zo, zijn jullie er al?" vroeg ze onnodig.

„Nee, we zijn er nog niet!" giechelde Christientje achter Loesjes rug.

Tante Suus gaf hun allemaal een hand. Ze had kortgeknipt, krullend haar en een leuke blauwe jurk. Christientje schatte haar niet ouder dan dertig jaar.

Bruno, de hond, liet zich gewillig door de meisjes aaien, maar Joke hield zich een beetje afzijdig.

„Gaan jullie maar op het terrasje zitten, er staan genoeg stoelen. Dan haal ik wat limonade en koek!" zei tante Suus. Even later kwam ze terug met een dienblad vol glazen limonade en koek.

Ze zette het neer op een klein rond tafeltje.

„Bedien je zelf!" zei ze vrolijk. Gretig dronken ze van de limonade, want ze hadden erge dorst. Op het terrasje was het lekker koel, omdat het in de schaduw van het huis lag, haar in de tuin scheen de zon fel.

„Hebben jullie eigenlijk al gegeten? Het is al over tweeën!" schrok tante Suus.

„Ja hoor, we hebben onderweg al een boterhammetje gegeten!" antwoordde mevrouw Van der Zee. Ze bleef nog even gezellig praten, toen vertrok ze.

„Anders kom ik niet meer voor het avondeten thuis," zei ze, een blik op haar horloge werpend. En ze vervolgde: „Jammer, het is hier zo gezellig!"

De vriendinnen namen afscheid van Marions moeder.

„Een prettige vakantie met veel mooi weer, hoor! Over twee weken kom ik jullie weer ophalen!" riep ze vanuit haar auto. Een brommend geluid kwam onder de motorkap vandaan en even later reed de auto weg, een walm van benzinedamp achter zich latend.

„Zouden jullie je koffers maar niet uitpakken? Ik denk dat jullie kleren anders zo kreukelig worden!" zei tante Suus, terwijl ze naar binnen gingen.

De vier meisjes sleepten hun koffers naar de logeervertrekken. Tante Suus ging hen voor. Nieuwsgierig keken ze naar binnen, toen tante de deur had open gedaan.

„Hier kunnen twee meisjes slapen, en in de kamer hiernaast ook twee. Je moet zelf maar uitzoeken in welke kamer je gaat en met wie."

De vertrekjes waren eenvoudig, maar gezellig ingericht. Voor de ramen hingen fleurige gordijntjes en de muren waren met zachtroze papier behangen.

„Ik vind dit kamertje nog leuker dan mijn eigen slaapkamer!" mompelde Joke zacht.

„Ja, jij hebt zo'n lelijk hok. Het behang is helemaal vergeeld!" Dat flapte het verwende Christientje eruit. Toen ze Joke's verdrietige gezichtje zag, kreeg ze spijt en troostte: „Nee hoor, dat meen ik niet. Het was maar een grapje."

Tante Suus verliet de meisjes, die hun koffers openden en de kleren er uit haalden. Ze trokken een andere jurk aan en kamden hun haar.

Tante Suus kwam er weer aan.

„Hebben jullie zin om een strandwandelingetje te maken?" vroeg ze.

„Hè, ja!" riepen de vriendinnetjes enthousiast.

Achter tante stonden Roetje en Bruno, de twee honden.

„Ik neem de honden mee; ze zijn nog maar één keer uitgelaten vandaag!"

Marion keek naar Joke. Die vroeg bang: „Ze doen toch niks hè?"

Tante lachte luid. „Nee hoor! Ik ken geen lievere honden dan mijn Roetje en Bruno!"

Bij het horen van hun namen, spitsten de honden hun oren en kwispelden even met hun staart.

Dus gingen ze met z'n zessen op stap. Het strand was vlakbij. De duinen liepen hier geleidelijk aan omhoog, zo dat ze niet zo veel hoefden te klimmen.

De honden, Roetje en Bruno, holden uitgelaten voor hen uit. Het was erg druk op het strand. Veel badgasten lagen te zonnebaden en anderen zwommen in zee.

„Jammer dat we onze zwempakken niet meegenomen hebben, ik heb best zin in een duik!" zei Loesje.

„Dat doen we morgen dan maar. Er is bovendien toch geen tijd meer voor," zei tante.

Marion stelde voor om vlak langs het water te gaan lopen, want daar was het niet zo druk. Ze trokken hun sokken en schoenen uit en plensden door het water. De honden volgden hen spetterend.

Alleen tante Suus bleef netjes op het strand lopen. Ze keek lachend naar de meisjes. Ze vond het leuk om logeetjes te hebben, het was zó saai de laatste weken in huis.

„Help, een kwal!" schrok Marion plotseling en sprong opzij. Ze had bijna op zo'n 'puddingachtig' weekdier getrapt.

Christientje pakte een stokje en wipte het beest daarop. Ze hield het omhoog en liep Marion plagend achterna. De anderen bleven lachend kijken. Opeens viel de kwal van het

stokje in zee, waar hij bleef drijven. Van schrik verloor Christientje haar evenwicht en viel achterover in het water. De meisjes schaterden het uit!

„Boontje komt om zijn loontje!" lachte Marion.

Proestend kwam Christientje boven. Haar mond zat vol met zout water.

„Bah, wat afschuwelijk!" riep ze met een vies gezicht.

„Laten we maar vlug naar huis gaan, straks vat je kou!" zei tante.

De meisjes bemerkten, dat ze geen badhanddoek hadden meegenomen, om hun voeten af te drogen. Ze bleven dus maar op hun blote voeten lopen, de schoenen in de hand.

De twee honden renden al naar de duinovergang. Joke was maar blij, dat ze niet te dicht bij haar kwamen. Ze wist wel dat Roetje en Bruno niks zouden doen, ze waren zelfs heel trouw, maar toch ... Lang geleden, toen ze nog een kleuter was van een jaar of vier, had een herdershond, die niet te vertrouwen was, haar aangevallen en sindsdien is ze altijd bang geweest voor honden ...

Christientje had het koud, ze rilde. Er was geen plekje meer droog van haar jurk! Tante Suus gaf haar vestje aan haar. Het zand bleef aan hun voeten kleven, en kapotte schelpen deden hun voeten pijn. Binnen een kwartier waren ze thuis. Christientje droogde zich af, en trok andere kleren aan. Het werd buiten nogal fris, en een zacht windje stak op. Tante Suus maakte voor de meisjes chocolademelk. Ze zaten knus bij elkaar in het kleine huiskamertje.

„Ik geloof vast en zeker dat dit een veel leukere vakantie wordt, dan mijn vakantie in Zwitserland, als die zou doorgegaan zijn!" dacht Christientje hardop.

„Het eten is klaar. Wie wil even de tafel dekken?" vroeg tante Suus. Dat wilden ze allemaal wel, dus hielpen ze ook allemaal. Tante kwam met dampende schalen de kamer inlopen.

„Ik weet niet wat het is, maar het ruikt lekker!" snoof Loesje.

Na het gebed lieten ze zich de warme maaltijd goed smaken. Tante las een gedeelte uit de Bijbel voor. Het ging over de verloren zoon.

„Dat hebben we pas op school gelezen," dacht Marion.

Na het eten hielpen Loesje en Joke tante Suus met de afwas.

## 4. De eerste vakantiebelevenissen

De volgende dag was het donderdag. Aan het ontbijt vertelde tante Suus dat het marktdag was in Middelburg.
„Misschien willen jullie daarheen? Het is toch niet warm genoeg om naar het strand te gaan," zei ze.
Daar hadden ze wel zin in.
Tante Suus nam een grote tas mee, want ze wilde ook nog inkopen doen. In het autootje van tante Suus reden ze om half elf richting Middelburg. Een waterig zonnetje, waar steeds dikke wolken voor schoven, stond aan de grijze hemel.
„Het gaat vast regenen!" voorspelde Loesje pessimistisch.
Toch kon het slechte weer hun vrolijke stemming niet drukken. Ze bereikten al gauw Middelburg, maar een plaats zoeken voor de auto duurde minstens even lang als de heenreis.
Het was er verschrikkelijk druk. In alle straten liepen niet alleen Nederlandse, maar ook Duitse en Belgische toeristen.
„Hebben jullie zin om de Lange Jan te beklimmen?" vroeg tante Suus aan haar logeetjes.
De meisjes grinnikten en Christientje vroeg: „Wie is de Lange Jan?"
Nu was het tantes beurt om te lachen. „Nee, het is geen persoon, het is die toren daar!" Ze wees naar een kerk.
„Als je er boven op bent, heb je een prachtig uitzicht over heel Walcheren. Maar het is nu geen helder weer, dat is jammer," ging ze verder.
De vriendinnen waren geestdriftig.
„Ik ga de treden tellen!" riep Joke, toen ze aan de klim

begonnen. Hijgend en puffend kwamen ze boven aan.

„Het zijn tweehonderd treden, als ik me niet vergist heb," vertelde Joke.

Tante Suus kocht aan een loket toegangskaartjes en een paar ansichten voor haar logeetjes. Het uitzicht was werkelijk heel mooi, hoewel het in de verte heiig was.

„Laten we maar weer naar beneden gaan, ik vind dat het hier tocht!" stelde Christientje voor.

Door de koude, stenen trappegang daalden ze af.

Op de markt zagen ze veel vrouwen en mannen in de beroemde Zeeuwse klederdracht lopen. Het raadhuis van Middelburg was erg mooi.

„Ik wil nog wat souvenirs kopen!" zei Christientje, toen ze langs een souvenirwinkel liepen.

„Och, allemaal kits! Wat vind je daar nou aan," zei Loesje, een beetje minachtend, terug.

„Ik wil het aan mijn moeder geven, wanneer ik bij haar op ziekenbezoek ga," vond Christientje. „Wachten jullie even? Ik ben zo terug!"

Meteen glipte ze de winkel in. Binnen enkele minuten was ze weer terug, met in haar handen een groot pak.

„Wat heb je gekocht?" vroeg Marion nieuwsgierig.

„Een pop in Zeeuwse klederdracht. Heel mooi," antwoordde Christientje. Tante trakteerde de meisjes op patat en ijs, daarna deden ze nog wat boodschappen en toen gingen ze naar huis.

Roetje en Bruno, de twee honden van tante Suus, waren door het dolle heen, toen ze hun bazinnetjes weer zagen. Ze sprongen tegen de meisjes op en likten hun gezichten.

Maar Joke was nog steeds bang voor de honden. Ze bleef wachten tot ze 'uitgedold' waren en ging toen naar binnen ...

Gelukkig was het de volgende dag, een vrijdag, beter weer. Al vroeg straalde de zon aan de blauwe, wolkenloze hemel. Het weerbericht had geen regen voorspeld, maar wel was er in de namiddag kans op onweer.

Tante Suus, haar nichtje Marion, Joke, Loesje en Christientje gingen al vroeg naar het strand. Marions tante zocht een geschikt plekje om het windscherm neer te zetten. De meisjes, die hun badpakken thuis al hadden aangedaan, gingen meteen de zee in. Tante Suus had haar honden meegenomen en legde ze vast aan de tent.

„O, wat koud!" bibberde Loesje, toen ze het water in ging. „Stel je niet zo aan, het is heerlijk!" zei Christientje een beetje snibbig terug. Direct na haar woorden dook ze in een grote aanrollende golf. Loesje wilde zich niet laten kennen en volgde het voorbeeld van Christientje. Alleen Joke stond nog aan de kant te bibberen. Haar vriendinnen trokken haar ruw de zee in.

„Ik kan niet zwemmen, hoor!" piepte ze angstig.

„Dat leren we je dan wel even!" schreeuwde Christientje overmoedig.

„We mogen niet zo ver de zee in. Tot ons middel," waarschuwde Marion.

„Ik haal een bal, dat is leuk!" riep Loesje boven het ruisen van de zee uit. Ze voegde de daad bij het woord; binnen enkele minuten was ze terug met een felgekleurde strandbal.

Ze gooide hem naar Christientje, die hem weer naar Loesje gooide. Het was een verrukkelijk spel. Dikwijls werden ze overspoeld door een grote golf. Wat genoten de vriendinnen! Ze merkten niet, dat ze al verder de zee in waren gelopen. Het was nu al eb. Loesje gooide de bal per ongeluk te ver, zodat hij enkele meters achter Joke terecht kwam. Joke ging er achter aan, maar de bal dreef verder weg. Nog een meter, dan kon ze de bal pakken. Ze stond nu tot haar schouders in het water.

„Laat die bal maar drijven, Joke. Kom terug! Het is eb!" waarschuwde Marion angstig.

„Ik heb hem zo!" schreeuwde Joke terug.

Plotseling rolde een grote, schuimende golf over Joke heen. De grond was verdwenen onder haar voeten. Van angst wilde

27

ze gaan gillen, maar haar mond kwam vol met zout water. Wild zwaaide ze met haar armen.

Loesje, Marion en Christientje waren in paniek geraakt. Marion rende, verblind door tranen, het strand op. Ze botste tegen een man aan, die haar verbaasd nakeek.

„Tante, tante, help. Ze ... ze ... verdrinkt!" snikte ze tegen tante Suus.

Tante Suus schrok, werd lijkbleek, maar ze bleef kalm. Verbaasd keek Marion toe, hoe tante Suus Bruno losmaakte en met hem naar zee holde.

„Vooruit, Bruno! Pak Joke, pak ze!" gebood tante Suus en gaf de hond een duwtje in de richting van Joke, die wezenloos op het water dreef, en soms werd opgepakt door golven en weer werd neergesmeten.

Enkele badgasten hadden ondertussen de reddingsbrigade gewaarschuwd. Aan de rand van het water stonden een heleboel nieuwsgierigen. Marion ging tussen hen staan en keek gespannen naar de twee mannen van de brigade, die in een bootje stapten. De tranen stroomden uit haar ogen. Ze vergat ze weg te vegen. Bruno zwom krachtig naar Joke. Zou hij het halen?

„Here Jezus wilt U Joke redden? Alstublieft! Amen," bad Marion in zichzelf.

„Je mag van een wonder spreken als dàt kind gered wordt!" hoorde ze een badgast zeggen.

„Ja," zei een ander, „het is eb en als je dan te ver in zee gaat, loop je het risico meegesleurd te worden met de stroom. Trouwens, die kinderen van tegenwoordig, die luisteren nooit. Er moet eerst een ongeluk gebeuren voordat ze iets van je aannemen!"

„Hee, wat doet dat beest bij dat kind?" zei de man opeens.

Het werd Marion te veel. Ze draaide zich om en schreeuwde: „Joke is het liefste meisje dat ik ken! En... en... Joke verdrinkt niet!"

Plotseling trok iemand Marion aan haar arm en nam haar mee. Het was Loesje.

„O, het is mijn schuld. Ik gooide de bal te ver! Wat erg!" huilde ze.

„Nee, nee, dat is niet zo! O, kijk! Bruno, hij pakt haar!" riep Marion opeens.

Ze keken. Telkens verdween Joke achter de schuimende golf-koppen. Nu had Bruno haar bereikt. Hij pakte haar beet bij haar zwempak en probeerde Joke naar de kant van het strand te duwen. Joke lichtte haar ogen op toen ze de hond voelde, en sloeg haar armen om hem heen.

Ondertussen was de boot bij hen aangekomen.

De mensen op het strand konden hen nog maar moeilijk onderscheiden.

Een van de mannen uit het bootje haalde Joke uit het water. Hij zette Bruno ook in de boot, maar die sprong er weer uit en zwom naar het strand.

Moeizaam bereikte de boot de kant.

Tante Suus, nog steeds zo wit als een doek, slaakte een zucht van verlichting en rende naar Joke, die bij gekomen was.

„Ooh, God zij dank!" mompelde ze, zielsgelukkig.

Er kwam allemaal zeewater uit de mond van Joke. Tante Suus nam haar kleine blonde vriendinnetje in haar armen. „Hoe voel je je? O, ik ben zo blij, je hebt het overleefd!"

„O, tante!" snikte Joke, terwijl ze haar hoofd tegen tante Suus' schouder legde. „Ik ben nog wel wat duizelig en koud, maar... maar..."

„Wat is er, Joke?"

„Bruno is de liefste hond ter wereld! Hij... hij... heeft mij gered!"

Tante Suus glimlachte weer, na al die spanning en die angst. Iemand bood aan het slachtoffertje en tante Suus naar huis te brengen met zijn auto. Dankbaar aanvaardden ze het aanbod.

Toen ze allemaal weer thuis waren, dankten tante Suus en de kinderen de Here voor het behoud van Joke.

Vanaf het ongeluk was Joke niet meer bang voor de honden. Integendeel, ze speelde nu nog meer met ze dan Christientje, Marion of Loesje deden! Gelukkig had ze niet veel nare gevolgen van het ongeluk ondervonden. Ze was alleen een klein beetje verkouden geworden, maar dat was na twee dagen al weer helemaal over.

's Zondags gingen ze met hun allen naar het kleine dorpskerkje, dat stampvol was door de vele vakantiegangers die er heen waren getrokken.

De preek ging over Abraham, die zijn zoon moest offeren. Maar het hoefde gelukkig niet. God wilde alleen maar weten, van wie Abraham meer hield, van Hém, of van zijn zoon. Later, véél later, heeft Hij óók Zijn Zoon moeten offeren... Toen was er geen genade, opdat er genade voor ons zou zijn...

De vier meisjes luisterden aandachtig. De dominee vertelde zo duidelijk, ze konden alles begrijpen.

's Maandags kregen Christientje en Loesje post van thuis.

„Het gaat heel goed met mijn moeder. Elke week mag ze wat langer buiten blijven!" vertelde Christientje met stralende ogen.

„Dat is goed nieuws!" vond tante. „Heb jij ook goed nieuws gekregen, Loesje?"

„Dat gaat wel. Mijn broertje Jeroen heeft zijn arm gebroken, maar verder is alles goed!"

„Hoe kwam dat? Jeroen is altijd zo wild, niet waar?" informeerde Joke.

„Hij was op het schuurtje gekropen om onze poes te pakken. Toen is hij gevallen en brak zijn arm."

„En de poes mankeert zeker niets? Ja, zo is het altijd!" lachte Christientje.

Ze lachten allemaal.

„Hebben jullie zin om de grens over te gaan, naar België? Misschien kunnen we naar Antwerpen!" vroeg tante.

„Hé, ja! Ik ben nog nooit in het buitenland geweest!" juichten Joke en Loesje.

Vlug smeerden ze een stapel boterhammen om mee te nemen. Om half tien vertrokken ze. De honden bleven thuis. Al gauw bereikten ze Vlissingen en de Westerschelde die ze met de veerpont overstaken.

„Wat een grote boot is dit!" verbaasde Joke zich.

Het was druk op de boot. Een heleboel buitenlandse toeristen, vooral Duitsers en Belgen, waren ook aanwezig. Na 20 minuten kwamen ze aan de overkant, in Breskens, aan. Tante Suus ging met haar logeetjes naar het benedendek, waar de auto geparkeerd stond.

„Over enkele ogenblikken zijn we in België!" zei Marion plechtig, toen ze de grens naderden. De slagbomen waren open en een douanier zat op zijn stoel de krant te lezen. Tante hoefde niet te stoppen.

„Het ziet er hier net zo uit als in Nederland!" zeiden Loesje en Joke een beetje teleurgesteld.

Tegen de middag reden ze Antwerpen binnen. Gelukkig was er op een groot parkeerterrein nog een gaatje vrij, waar het autootje van tante Suus precies inpaste. Moe en stijf van het zitten stapten de meisjes uit.

„Zullen we de dierentuin gaan bekijken?" vroeg tante. „Die is vlak bij het station hier."

„Ja, leuk! Misschien komen we dan nog wel soortgenoten van jou tegen!" lachte Christientje tegen Loesje.

„Soortgenoten? Hoe zo? Wat bedoel je?" vroeg Loesje, niet begrijpend.

„Nou, ik vind dat jij nogal veel van een aap weg hebt," antwoordde Christientje droog.

„Ach, jij! Misschien hebben ze er ook wel katten. Als de oppasser jou ziet stopt hij jou bij die katten in het hok!" vond Loesje gevat.

Ze schaterden. Tante Suus kocht kaartjes. Op een bankje aten ze enkele boterhammen, daarna gingen ze de dieren bekijken.

Ze hadden veel plezier bij de apen, die de mensen die passeerden nadeden. Bij de ijsberen bleven ze vertederd kijken naar de kleine ijsbeertjes, die van een gladde helling het water ingleden. Het meest genoten ze van de dolfijnenvoorstelling die in een overdekt gebouw werd gegeven. De dolfijnen sprongen wel tweeënhalve meter uit het water om een vis te pakken, die een man in zijn hand hield. Er klonk een luid applaus na de kunsten van de dolfijnen.

Toen de show afgelopen was stroomde het gebouw leeg. Loesje treuzelde en bleef naar de dolfijnen kijken. Ze dacht niet meer aan tante Suus en haar vriendinnetjes, die allang het gebouw uit waren. Nadat iedereen de zaal had verlaten, liep ze naar de man toe die de dolfijnen vis had gegeven.

„Mag ik ze een vis geven, meneer? Ik vind de dolfijnen zo lief!" zei ze.

De man lachte. „Ja hoor, hier heb je een vis. Hou hem maar boven het water, dan komt de dolfijn hem zo halen."

Nauwelijks had hij dit gezegd, of de vis was al weggehapt door de dolfijn. Loesje mocht er nog een paar geven.

„Woon je in Antwerpen? Of ben je hier met nog meer meisjes!" vroeg de man belangstellend. Loesje schrok.

„Oh, ik weet niet waar ze zijn, ze zijn weg!" schreeuwde ze, ze keerde zich om en rende weg. De man riep Loesje nog terug, maar ze hoorde het niet meer. Hij haalde zijn schouders op en ging verder met zijn werk.

Loesje rende wanhopig naar buiten en keek overal of ze ergens een spoor zag van tante Suus, Marion, Joke of Christientje. Maar nee, nergens zag ze een bekende.

Ze besloot om iemand te vragen naar tante Suus of de vriendinnen.

„Meneer, heeft u ook een mevrouw gezien en drie meisjes?" vroeg ze de eerste de beste man die ze zag.

„Keske tuu die?" zei de man verbaasd.

Loesje dacht dat de man een grapje maakte en zei fier: „Ik zoek mijn vriendinnen en een mevrouw!"

„Ah, tuu è uun ollandèze!" zei de man.

Loesje wist niet dat de man Frans sprak, en liep boos weg. Opeens bemerkte ze tante en haar vriendinnen bij de ingang van het park. Zo te zien was tante Suus aan het praten met een man.

Snel holde Loesje naar hen toe. „Hier ben ik weer!" zei ze, verlegen lachend.

„Waar ben jij geweest? Wij hebben je overal gezocht!"

„Oh, gelukkig, je bent weer terecht."

„Waar kom jij vandaan? Wat waren we ongerust!"

Met al deze woorden begroetten de vriendinnen en tante Suus Loesje. Van opluchting schreeuwden ze allemaal weer door elkaar.

De man met wie tante Suus stond te praten lachte en liep weg, terwijl hij een melodietje floot.

„Vertel eens op, waar heb jij gezeten?" vroeg Christientje.

„Ik heb de dolfijnen gevoerd en toen opeens waren jullie

weg. Ik ben aan een meneer wezen vragen of hij jullie ook gezien had, maar die man zei zulke gekke dingen!"

„Wat dan?" vroeg Joke nieuwsgierig.

„Nou, eh... hij zei: Keske tuu die? En: tuu è uun ollandes, of zo iets!"

Plotseling begon tante te lachen.

„Ha, ha, dat was een Frans sprekende Belg, natuurlijk. Ik denk dat hij zei: 'Qu'est-ce que tu dis?' Dat betekent: 'Wat zeg je?' Hij snapte natuurlijk ook niks van dat taaltje van ons. En dat andere zal wel: 'Tu es une Hollandaise' geweest zijn. Dat betekent: 'Jij bent een Nederlandse!' "

De meisjes lachten nu allemaal.

„Ik ken geen Frans, dat leer ik wel wanneer ik volgend jaar naar de havo of naar de mavo ga!" zei Christientje.

Tante Suus wierp een blik op haar horloge.

„We moeten nu echt naar huis, anders komen we veel te laat thuis!" zei ze. Ze zochten tantes autootje op en kropen erin. Toen ze om half negen 's avonds thuis kwamen, waren de meisjes doodmoe van alle gebeurtenissen die dag.

Eenmaal in bed, sliepen ze binnen een half uur als rozen!

## 5.  *Nog meer avonturen*

De zon scheen vrolijk op het drukke strand. De zee schitterde en grote schuimkoppen rolden af en aan op het strand. Veel kinderen speelden in zee, bouwden zandkastelen of verzamelden schelpen.

De vier vriendinnen hadden een groot zandkasteel gemaakt en wilden het beschermen tegen de opkomende vloed door er een dijk om heen te leggen. Telkens klotste het water gevaarlijk tegen het zanddijkje. Opeens kwam er een grote golf aan, die de dijk helemaal overspoelde. Er bleef niets van over. De meisjes schreeuwden van plezier.

Verwoed begonnen ze aan een nieuwe dijk. Maar het was water naar de zee dragen, want de vloed overspoelde het zandkasteel keer op keer.

„Ik heb geen zin meer!" zei Christientje somber.

„Nee, ik ook niet, laten we een strandwandeling gaan maken en de duinen beklimmen!" stelde Marion voor.

„Hè bah! Ik ben al zo moe! Nee hoor, daar heb ik geen zin in!" vonden Loesje en Joke.

„Ik ga wel met je mee, ik heb er wèl zin in!" zei Christientje.

Op een draf liepen Marion en Christientje naar tante Suus toe om te vertellen dat ze een wandeling gingen maken. Ze namen Roetje, het kleinste hondje van tante Suus, mee.

„Maar ga niet te ver, het is al bijna vijf uur! Om half zes gaan we naar huis!" waarschuwde tante toen ze weggingen.

Marion en Christientje liepen over het drukke strand, terwijl ze druk babbelden. Het zand was warm van de felle zonneschijn die dag.

„Ik wou dat ik aan zee woonde," zei Christientje dromerig, terwijl haar blik over de zee gleed.

„Als de zee rustig is, is het wel leuk. Maar in de herfst en in de winter kan de zee verschrikkelijk wild zijn!" zei Marion en aaide Roetje, die trouw naast hen liep, over de kop. „Je weet toch wel," ging ze verder, „van die erge ramp in februari 1953? Met al die dijkdoorbraken? Walcheren werd niet overspoeld, maar de rest van Zeeland grotendeels wel! Die ramp kostte 1800 mensen het leven. Nou, dan woon ik toch liever verder het land in."

Zwijgend liepen ze verder.

Christientje verbrak die stilte.

„Ik snap niet dat God zó iets kan laten gebeuren!"

Marion dacht even na en zei: „Op de zondagsschool vertelde de juffrouw dat God niet alleen fijne, mooie dingen laat gebeuren, maar ook verschrikkelijke. Maar dat moeten we kunnen aanvaarden. Als we dat niet kunnen, is ons geloof te zwak en vertrouwen we te weinig op de Here! Vaak laat God rampen gebeuren om ons geloof op de proef te stellen!"

Ondertussen waren ze op de duinen aangekomen. Roetje sprong achter een konijntje aan, dat hier in het wild leefde. Christientje vervolgde hun gesprek.

„Wat je net zei, dat God ons geloof op de proef wil stellen was net zo als met Abraham, die zijn enige zoon moest offeren! Maar God was genadig!"

„Bij Job was dat ook het geval!"

Weer zwegen de twee vriendinnen. Op het plekje waar ze nu stonden hadden ze een mooi uitzicht over het strand. Ze zagen hoe sommige badgasten hun tenten afbraken en vertrokken.

„Moeten we nog niet terug?" vroeg Marion aan Christientje, die een horloge om had.

„We kunnen nog wel een eindje verder, het is kwart over

vijf! Waar is Roetje? Ik zie hem nergens. Zo net liep hij nog naast ons!"

De twee meisjes waren achter de duinenrij aangekomen en liepen nu in een bos, waar het schemerde.

„Roetje, Roetje! Kom! Kom bij de baas!" riep Marion met haar handen als een luidspreker voor haar mond. In de verte hoorden ze een vaag, dof geluid.

„Zou dat Roetje zijn?" vroeg Christientje angstig.

„Ik weet het niet. Het kan net zo goed een eekhoorn of vogel zijn, maar we kunnen er in ieder geval op af gaan!" zei Marion een beetje zenuwachtig. Ze was het niet van de hond gewend om zo lang weg te blijven. Ze riep nog een keer heel hard. Er kwam geen geluid.

„Roetje! Roeoeoeoetje!" schreeuwde Christientje mee.

Leek het maar zo, of hoorden ze echt een janktoon van Roetje?

Ze liepen verder. Achter een paar struiken zagen ze het hondje liggen, voor een konijnehol. Zijn poot bloedde. Toen hij zijn vriendinnetjes zag, kwispelde hij even met zijn staart, maar kreunde zacht. Marion knielde bij hem neer en raakte even zijn bloedende poot aan. Meteen kromp de hond ineen en kreunde luid. Zijn ogen schenen te zeggen: 'Niet aankomen! Ik heb al zoveel pijn, moet jij me óók nog pijn doen?'

Marion keek verschrikt naar Christientje.

„Er zit iets in zijn pootje. Ik denk dat het glas is. Kijk maar, hier ligt ook allemaal glas."

„Hoe moeten we naar huis? Zou hij kunnen lopen?"

„Ik weet het niet. Anders zal ik hem moeten dragen." Toen Marion het probeerde kreunde hij luid. Wanhopig legde Marion het hondje weer terug op het mos.

Opeens verscheen iemand door het struikgewas. Het was een lange, blonde man. Marion had hem wel eens op het strand gezien, en ook wandelde hij wel eens voorbij.

„Dag meneer. Onze hond is gewond," zei ze.

„Hallo kinderen. Wat is er met hem? O, ik zie het al, er zit glas in zijn pootje. Ja, dat kan gemeen pijn doen!"

Hij had een veldfles met water bij zich en bevochtigde zijn zakdoek. Daarmee maakte hij het pootje van Roetje schoon. Roetje kreunde. De meisjes keken gespannen toe. In de poot zat een scherp stuk glas. De man probeerde het te verwijderen. Roetje kreunde en jankte zachtjes. Het lukte! Het glas was eruit! Roetje draaide zijn kop om en begon de wond te likken. De man weerde af.

„Weg jongen! Ik zal de zakdoek om je poot binden, want als er vuil bij komt zijn we nog verder van huis."

Hij wendde zich tot Marion en Christientje: „Hoe laat moeten jullie thuis zijn? Het is al bijna kwart voor zes."

De meisjes schrokken. „Om half zes moesten we bij onze tent zijn, op het strand!" zei Marion.

„Nou, dan denk ik dat de anderen al thuis zijn. Zeg, zijn jullie twee van die meisjes die in dat kleine bungalowtje logeren, dat zo uitkijkt op de duinen?"

Christientje knikte en vertelde dat ze bij Marions tante logeerden. De man stelde zichzelf voor als meneer Verhage. Druk pratend bereikten ze het huis van tante Suus, die al op de uitkijk stond. Marion vertelde haar wat er gebeurd was. Meneer Verhage wilde weer vertrekken.

„Ik logeer met mijn gezin in het huisje hier ongeveer honderd meter vandaan. Het heet „Zonneweelde". Ik heb een dochtertje van ongeveer jullie leeftijd. Ze heet Irene en eh... ze kan niet lopen. Zouden jullie haar eens willen opzoeken? Ze is zo eenzaam," vertelde hij.

„Natuurlijk gaan we er een keer naar toe. Wat erg, dat ze niet kan lopen," zei Christientje spontaan.

De man lachte. „Dan ga ik maar weer. Dus ik zie jullie nog wel een keertje verschijnen?"

Ze knikten.

„Dag! Niet vergeten, hoor!" zei hij en verdween achter de bomen.

Maar van die belofte kwam niet veel. Elke dag bijna was het mooi weer, en elke dag waren de meisjes op het strand te vinden. Ze speelden en zwommen in zee. Hun huid was in die anderhalve week al helemaal bruinverbrand. Hoewel ze een klein beetje heimwee naar huis hadden, durfden ze het niet voor elkaar te bekennen ... Marion lag te zonnebaden in het zand. Naast haar zat Joke te spelen met de honden. Roetje was weer helemaal beter. Christientje en Marion, die echte waterratten waren, zwommen bijna de hele dag in zee.

Marion dacht aan hun vakantie, die over vijf dagen voorbij zou zijn. Jammer, het was zo prettig geweest. Toch verlangde ze naar huis, naar vader en moeder en naar Kareltje, haar broertje.

Gisteren had Christientje een brief van haar moeder gehad, die nu elke dag verder opknapte. Haar vader had een huisje op de Veluwe gehuurd om er de verdere vakantie in door te brengen, samen met Christientje en heel misschien ... Christientjes moeder. Elke dag bad Christientje trouw om beterschap voor haar moeder ... Ze was in de vakantie erg veranderd, die Christientje. Vóór de vakantie kon ze wel eens nuffig en hooghartig doen, maar daar was nu geen sprake meer van!

„Hee, ik heb je al twee keer gevraagd of je mee ging zwemmen!" hoorde ze plotseling Joke vragen. Marion opende haar ogen en keek Joke aan.

„Ja, ik heb wel zin, hoor," zei ze weinig enthousiast.

„Tante Suus is ook in zee en haar honden ook. Kom toch mee!" vertelde Joke, terwijl ze naar de waterkant liepen.

Bruno en Roetje renden door het water en spetterden bijna iedereen nat. Tante Suus gooide een stuk hout ver in zee. De honden zwommen om het hardst om het hout te pakken te krijgen. Bruno won.

„Ik dacht dat honden bang voor water waren, maar ik denk dat ik me vergist heb," zei Joke tegen tante Suus.

„Bruno is een echte scheepshond. Het is hem geleerd om

40

mensen te redden. Roetje was vroeger bang voor water, maar op een keer toen Bruno en ik in zee gingen, volgde hij ons toch!" vertelde tante Suus.

„Tante, vertelt u iets over Bruno, toen hij nog op een schip woonde!" bedelde Joke die dol op verhalen was.

Tante glimlachte. „Zo meteen, als de anderen er ook bij zijn!" Ze pakte de stok, waar Bruno mee kwam aan zwemmen en gooide hem weer weg.

„Laten we eruit gaan, ik ben moe en ik heb ook geen zin meer," zei Loesje, die er aan kwam hollen. Ze volgden haar raad op.

„Vertelt u nu van Bruno?" vroeg Joke, terwijl ze zich allemaal om tante Suus heen schaarden. Tante deelde eerst koeken uit en toen begon ze aan haar verhaal.

„Ik zal bij het begin beginnen. Bruno werd geboren op de boot van een binnenvaartschipper. Die man verzorgde hem niet goed. Bruno werd geschopt en kreeg te weinig eten. Op een keer lag de boot aan wal in een haven en een andere schipper heeft Bruno toen meegenomen. Toen werd hij echter goed verzorgd. De schipper had een klein dochtertje en op een dag viel haar pop in het water. Het meisje huilde tranen met tuiten. Bruno is toen van het dek gesprongen en heeft de pop gepakt. Wat was het meisje blij! Na dit voorval haalde Bruno alles uit het water wat er in viel. Na een poosje kreeg het meisje een zusje. Toen ze ongeveer twee jaar was is ze in het water gevallen..."

„Is ze verdronken?" vroeg Joke ongeduldig.

„Nee, Bruno sprong ook nu in het water en heeft het meisje drijvende gehouden, net zo lang totdat er redding kwam. Toen Bruno vijf jaar was, heb ik hem gekregen."

Tante Suus aaide haar trouwe hond over zijn kop.

Plotseling vroeg Loesje: „Maar tante, waarom wilden die mensen Bruno niet houden? Hij heeft zoveel voor hen gedaan!"

Tante Suus keek bedroefd voor zich uit. „Het schip heeft een aanvaring gehad en de schipper met zijn gezin is op de wal komen wonen. Zijn boot was niet verzekerd. In één klap waren ze arm. Ze hadden geen huis meer, en al het geld wat ze hadden is opgegaan aan meubels en kleren. Van de huisbaas mochten ze geen hond hebben, en geld voor een ander huurhuis was er niet, dit was het goedkoopste!"

De meisjes waren een ogenblik stil. Plotseling bemerkten ze dat het koud geworden was. De meeste mensen waren al van het strand verdwenen. In een snel tempo braken ze de tent af en gingen huiswaarts.

Die nacht schrok Loesje wakker door een harde bliksemslag. Snel schoot ze overeind. Het weerlichtte fel.

„Onweer, bah," zei ze tegen zichzelf.

De regen kletterde neer op het dak. Marion, die bij haar op de kamer sliep, werd ook wakker door het lawaai.

„Wat is dat?" vroeg ze slaperig, haar ogen uitwrijvend. Loesje stak de lamp aan en zei somber: „Het onweert. Het prachtige weer van de laatste dagen zal nu wel omslaan!"

De laatste woorden van haar zin waren niet meer te horen doordat een felle donderslag hen overstemde.

Marion liep naar het raam. „Als het weerlicht, zijn de duinen helemaal verlicht. Dat is een mooi gezicht, joh!" zei ze.

Tante Suus kwam binnen. „Wat een noodweer, hè? Willen jullie niet even in de huiskamer komen?"

„Ja, leuk," vonden Marion en Loesje.

Tante haalde Joke en Christientje ook, die in het andere kamertje sliepen. Even later zaten ze in de schemerige huiskamer bij elkaar. Joke huiverde toen een harde bliksemschicht door de lucht schoot. Het regende heel hard.

„Ben je bang?" vroeg tante aan Joke. Hoewel ze benauwd keek, ontkende ze. Langzaam dreef de bui voorbij. Het rommelde nog maar heel zacht.

„Het ergste is voorbij. Jullie kunnen nu wel weer naar bed, hè," zei tante Suus. De vriendinnen liepen naar hun slaapkamertjes en probeerden te gaan slapen. Even later hield ook het regenen op ...

De volgende dag was het verschrikkelijk slecht weer. Het waaide hard, de lucht was grijs, en bijna de hele dag regende het. Na het ontbijt lieten Joke en Loesje de twee honden uit. Het was net even droog, maar dat duurde niet lang. Nauwelijks waren ze honderd meter van huis, of het goot pijpestelen.

„Laten we maar gauw naar huis gaan!" riep Joke, terwijl ze zich al omdraaide. Plotseling hoorden ze iemand op de ramen tikken van het vakantiehuisje waar ze nu voor stonden. Een blond meisje, dat achter het raam zat, wenkte.

„We moeten komen, geloof ik!" zei Joke.

„Ja, laten we dan maar vlug gaan, want hier word ik kletsnat!" vond Loesje.

Ze holden naar de deur, ieder een hond aan de riem.

De deur werd open gedaan door een meneer, lang en blond.

„Oh... eh... u bent meneer Verhage!" herinnerde Loesje zich.

„Ja zeker, dames! Doen jullie je jassen maar uit, en veeg je schoenen goed af, anders lopen jullie al die modder mee naar binnen!"

De vriendinnen gehoorzaamden. Bruno schudde zijn natte vacht uit en de spetters vlogen in de rondte.

Beschaamd haalde Loesje de hond bij haar.

„Mag niet! Foei!" zei ze streng.

Gelukkig had meneer Verhage het niet gezien. Hij ging hun voor naar de huiskamer en ging toen weer weg. Ze zagen het meisje zitten in een rolstoel voor het raam. Ze keek helemaal niet vriendelijk.

„Dag!" zeiden Loesje en Joke tegelijk.

Plotseling vroeg het meisje, dat Irene heette: „Waarom zijn jullie niet eerder gekomen?" Ze aaide Roetje over de kop.

„We waren je helemaal vergeten. Het spijt ons verschrikkelijk!" zei Joke.

„Ja, dat zal best!" zei Irene op een honende toon. „Jullie dachten natuurlijk: 'Met zo'n verlamd kind, dat niet eens kan lopen, valt toch niets te beleven!' Nou, misschien hadden jullie dan nog wel gelijk ook ..."

Joke keek Loesje verschrikt aan. „Dat ... is niet zo. Echt waar!" stamelde ze. „Het was elke dag mooi weer en dus zijn we naar het strand geweest. Zodoende zijn we jou vergeten. Maar het spijt ons echt."

Irene keek haar wantrouwig aan. Toen glimlachte ze. „Ach, laten we maar vriendschap sluiten, dat is veel beter. Vinden jullie ook niet?" vroeg ze.

„O, ja, natuurlijk!" vond Loesje.

„Ik heb jullie wel eens langs zien komen. Verleden week kwam mijn vader thuis en toen vertelde hij dat hij jullie hond had geholpen, en dat jullie mij eens zouden komen opzoeken. Wat was ik blij! Elke dag keek ik naar jullie uit. Ik heb geen een vriendin, weet je... Maar jullie kwamen niet. Nou ja, dat kon ik wel begrijpen. Wat valt er nou voor plezier te beleven aan een meisje dat nog geen drie stappen zonder krukken kan lopen?" Irene zweeg.

„Wat erg voor je! Maar wij willen wel je vriendin worden, hoor. Maar je weet nog niet eens onze namen!" lachte Joke.

„Ik heet Joke en dit is Loesje. Onze vriendinnen zijn Christientje en Marion. Maar die zijn thuis gebleven," ging ze verder.

„Nou, ik heet Irene Verhage," lachte Irene.

„Vanmiddag komen we je weer opzoeken!" beloofde Joke grif.

„Leuk! Niet vergeten, hoor! Komen die andere twee meisjes dan ook?" vroeg Irene.

„Ja, natuurlijk."

's Middags gingen ze met z'n vieren naar Irene. Het regende niet meer, maar een dik wolkendek hing als een gordijn boven het landschap.

Irene had nog twee kleine zusjes, die zich verveelden. Ze wilden buiten spelen, maar dat mocht niet."

„Ik wil met jouw kleurpotloden kleuren!" zei Marijke, die ongeveer drie jaar was.

„Nee, je hebt ze zelf," bitste Ilze, Irenes zevenjarige zusje, terug.

Dat beviel de koppige Marijke niet. „Ik mag die van jou best gebruiken. Mijn potloden hebben geen punten meer. Ik wil die van jou hebben!!!"

„Nee hoor! Mama, mam! Marijke moet haar eigen potloden, hè?" vroeg Ilze aan haar moeder, die binnenkwam.

„Nee, Marijke moet niks. Jullie gaan voor mij even een boodschap doen. Het is net even droog. Trek jullie jas maar aan!" zei moeder streng. De meisjes keken sip.

„Zullen wij mee gaan?" riep Loesje opeens, die het gesprek had gehoord.

„Nee, joh . . . Irene kan toch niet . . ." fluisterde Christientje verschrikt.

Moeder lachte. „Ja, dat is een goed idee. Tenminste, als jullie Irenes rolstoel willen duwen!"

„Natuurlijk!" was het antwoord, dat uit vier monden tegelijk kwam. Irene werd dik ingepakt door haar moeder. Joke duwde als eerste de rolstoel. Eerst ging het wel even moeilijk, want de wielen bleven een paar keer steken in de modder, maar toen ze op de verharde weg waren aangekomen, ging het beter. Ilze en Marijke holden vooruit met Marion en Christientje. Ze speelden tikkertje. Irene mocht Joke, die haar rolstoel duwde, het liefst. De anderen waren zo druk. Irene wees naar enkele zeemeeuwen die in de lucht zweefden. Hun witte lijfjes staken fel af tegen de donkergrijze wolken. Ilze en Marijke kochten brood, terwijl Irene en haar nieuwe vriendinnetjes buiten bleven wachten. Toen ze weer buiten kwamen, stelde Marion voor om een ijsje te gaan eten.

„Ik weet wel een leuke snackbar waar ze verrukkelijk ijs verkopen!" zei ze.

„Maar we hebben geen geld bij ons!" zei Joke.

„Ik trakteer jullie. Ik heb wel geld bij me," zei Marion. Ze bedacht of ze wel genoeg geld had, want ze waren met z'n zevenen. Nou ja, dat zou wel goed zitten, vond ze optimistisch. Ze gingen een ijsbar in. Loesje duwde samen met Joke de rolstoel over de drempel!

„Zeven ijsjes van dertig cent, als 't u belieft!" zei Marion tegen de juffrouw achter de toonbank. De juffrouw vulde de bakjes met ijs en gaf ze aan de meisjes, die er onmiddellijk aan begonnen te smikkelen. IJverig zocht Marion in haar beursje, maar plotseling kreeg ze een hoofd zo rood als een kroot! De juffrouw achter de toonbank keek haar verwonderd aan, wachtend op haar geld.

„Ik heb maar twee kwartjes bij me!" stotterde Marion geschrokken.

„Nou, dat is ook wat moois!" zei de juffrouw. „Zo is het geen kunst om iedereen te trakteren! En jullie wonen zeker een heel eind hier vandaan? Anders zou ik je een paar dagen borden laten wassen tot je het geld verdiend had!"

„Wij logeren hier in het dorp en ik kan het geld straks best even brengen!" zei Marion beteuterd. De andere meisjes gniffelden om het voorval, maar niet één kon helpen, want het geld voor de boodschappen was afgepast en eigen geld hadden ze niet bij zich. Maar plotseling riepen Ilze en Marijke: „Daar is vader met zijn auto!"

Dat was waar ook. Meneer Verhage kwam net het dorp in. Alle meisjes renden de snackbar uit, behalve natuurlijk Irene. Meneer Verhage was al voorbij gereden, maar met z'n zessen holden ze de auto achterna en schreeuwden zo hard ze konden. Er waren nogal wat mensen in de dorpsstraat en iedereen dacht dat er op zijn minst iemand vermoord werd!

Gelukkig keek meneer Verhage in zijn spiegel en zag hij de kinderen die achter hem aanholden. Hij parkeerde zijn auto langs de kant en stapte uit.

„Meneer!" schreeuwde Loesje, „Marion moet borden wassen in de snackbar, omdat ze geen geld had voor een ijsje. Voor ons allemaal dan, bedoel ik."

Meneer Verhage begreep er niets van. „Nou, dat lijkt me een heel nuttig werk, dat borden wassen! Kan ze laten thuis haar moeder flink helpen! En ijsjes eten is toch helemaal niet nodig?"

Het duurde een hele tijd voor de meisjes hem hadden kunnen uitleggen wat er aan de hand was. Toen stapte meneer Verhage mee naar de snackbar. „Ik zal die een gulden zestig wel zolang voorschieten!" zei hij lachend. „En als het morgen nog slecht weer is komen jullie bij mij thuis borden wassen in plaats van hier!"

„Goed zo," zei Irene. „Dat wil ik dan wel eens zien!"

Maar of ze dat meende?

## 6. Met meneer Verhage op stap

De volgende dag is het droog, maar geregeld zeilen er grote wolkengevaarten door de lucht. Veel wind is er niet, maar hij komt van zee en brengt koele lucht mee. Net zo'n dag om flink te wandelen in plaats van in het zand te liggen luieren, zegt tante Suus. En als ze dan Irene in haar rolstoel óók meenemen, dan ziet die ook nog eens wat.

Meneer Verhage heeft tante Suus beloofd, dat hij ze wel eens een dag mee zal nemen naar België. Ze zijn zo aardig voor die arme Irene, dat hij graag eens wat terug wil doen. Je kunt met de auto naar Vlissingen. Daar varen heel grote veerboten naar de overkant van de Westerschelde, naar Breskens. Het zijn net drijvende kastelen. Vanuit Breskens kun je naar het middeleeuwse Brugge of naar Gent of Brussel.

„O ja, die balletjestoren wil ik graag zien!" roept Christientje. Iedereen kijkt haar stomverbaasd aan. Bestaat er dan een balletjestoren in Brussel?

„Ik bedoel het Atomium," legt ze uit. „Daar zijn vader en moeder eens naar toe geweest toen ik nog heel klein was. Nou en omdat ik dat moeilijke woord niet kon uitspreken noemden wij dat ding de balletjestoren. Zo is dat gebleven en per ongeluk zeg ik dat nòg telkens!"

De anderen vinden die veerboten reusachtig, maar ze zouden best wel eens verder de zee op willen. Kan dat?

Meneer Verhage lacht. „Ja, dat kan wel. Vanuit Vlissingen vaart elke avond een grote stoomboot de hele kust langs, tot Oranjezon toe. Dat is een soort showboot met daverende muziek en dansende en drinkende mensen er op. Ik denk dat

je maar gek zou kijken als je tussen zulke rare mensen zat, die zo gek doen. Maar er is nog een andere mogelijkheid. Je kunt met een visser uit Breskens mee de zee op."
Hoera, dat willen ze allemaal wel!
„Ja," zegt meneer Verhage waarschuwend, „dat willen jullie allemaal wel, maar denk er om: zo'n boot vaart 's middags uit. Het blijft de hele nacht op zee en komt pas de volgende morgen terug. En je kunt er niet af! Als je zeeziek wordt moet je tòch aan boord blijven, hoe erg het ook is. Pas als er genoeg gevangen is of als het tijd is, varen ze terug!"
Bedenkelijk kijken de meisjes elkaar aan. De een na de ander valt af omdat ze al eens eerder zeeziek zijn geweest. Alleen Joke en Loesje blijven over en na enig aarzelen ook Marion. Die durven het wel, tenminste als meneer Verhage mee gaat! Maar dat spreekt vanzelf.
En zo spreken ze dan af: het drietal Joke, Loesje en Marion gaan met meneer Verhage mee, de anderen gaan met Irene op stap, richting Nollebos bij Vlissingen. Een dag later hopen ze elkaar weer terug te zien.
Meneer Verhage telefoneert met Breskens en hij heeft het gauw voor elkaar. Het kost maar een kleinigheid, maar ze moeten zèlf voor spullen zorgen. Wat voor spullen? Nou, regenkleding, want er spat veel zout water op zo'n vissers-scheepje en dat kan je kleren bederven. En een slaapzak als iemand niet lekker mocht worden op zee ... Plus eten en drinken.
's Middags na een warme maaltijd, als de anderen al lang weg zijn, vertrekken meneer Verhage en de drie vriendinnen. Over Middelburg gaat het naar Vlissingen, met de auto. Dat gaat best, al is het druk op de weg. Maar als ze om half twee bij de veerhaven aankomen staan daar de auto's acht rijen dik te wachten! En om half drie moeten ze aan de overkant, aan de vissershaven in Breskens zijn! Dat lukt nooit, vreest Marion.
Wel is zo'n veerboot ongelooflijk groot, zodat er wel 180

auto's op kunnen, maar wat helpt dat als er meer dan 200 staan te wachten? Gelukkig, tegen kwart voor twee komt er beweging in de rij. Ze mogen optrekken. Als allerlaatste wagen rijden ze de veerboot op. O, gelukkig! Dat scheelde maar een haartje of ze waren te laat! En die visser aan de overkant wacht niet. Zouden ze nog op tijd zijn? Voortaan vroeger van huis gaan als het zo druk is!

Statig vaart de veerboot de Westerschelde over. Ons viertal stapt uit de auto en gaat naar boven, naar het passagiersdek. Want de overtocht duurt ruim een kwartier en je kunt vanaf de boot de kust van Walcheren en van Zeeuws-Vlaanderen prachtig bekijken. Heel grote oceaanschepen varen intussen voorbij van of naar Antwerpen en Terneuzen. Zo'n vijf kilometer is de rivier hier breed; eigenlijk een zeearm, want het water is zout.

Met een lichte bons komt de veerboot tot stilstand. Vlug rennen de meisjes naar beneden. Ze staan te trappelen van ongeduld om weer in de auto te mogen. Meneer Verhage doet het kalm aan. Rennen heeft geen zin: omdat hij de laatste was die de veerboot opreed is hij óók de laatste die er af mag ...

Eindelijk, eindelijk mogen ze rijden. Aan de overkant is het al net zo druk; ook dáár staan de auto's acht of negen rijen dik te wachten! Maar nu vlug het dorp in en naar de vissershaven. Gelukkig, het is nog vijf minuten vóór half drie; ze zijn nog net op tijd!

Meneer Verhagen parkeert de auto op de kade. Vlug pakken ze hun spullen uit de auto en terwijl hun begeleider de auto afsluit, draven de meisjes al naar het water. Tja, welke boot is het nu? Er liggen er nog drie!

„Deze!" wijst meneer Verhage, „de Breskens 17!"

Oei, dat valt tegen, na de veerboot! Moeten ze met zo'n klein, zwartgeteerd schuitje de Noordzee op??? De visser, die een pijpje rokend op het dek staat, ziet het wel. Hij schudt meneer Verhage de hand. „Je bint op tied," zegt hij, „mae' j'ao gin vuuf menuten later motten kommen!"

Met een ruk haalt hij de loopplank binnen, terwijl zijn zoon beneden de dieselmotor aan de gang brengt, die het scheepje trillen doet en die een verschrikkelijk geronk afgeeft. De visser blijkt Marinusse te heten en zijn zoon Krien. In het roefje vooraan mogen de gasten hun spullen neerleggen. Daar mogen ze ook zitten als het te koud is. Veel tijd om te praten is er niet, want het is afgaand tij en nu moet visser Marinusse buitengaats zien te komen. Ronkend vaart het scheepje de haven uit, de Schelde op. Ons viertal zit op dek op een paar meegebrachte klapstoeltjes, maar je moet je geregeld ergens aan vasthouden, want er staat een behoorlijke deining!

Gelukkig blijkt het bootje niet ver de zee op te gaan. Na een uur varen zijn ze nog steeds in de mond van de Schelde, die hier de Wielingen heet. Heel in de verte kun je de kustlijn van Zeeuws-Vlaanderen zien, omdat het helder weer is, maar hoever ze van het land af zijn weten de meisjes niet.

Tegen de avond worden met behulp van een lier die je buiten boord kunt draaien, de netten uitgezet. De motor draait nu zachtjes en het geronk is niet meer zo oorverdovend. De visser en zijn zoon komen om de beurt in het roefje om te eten, want altijd moet er één man aan het roer zijn. Het wordt alleen vastgezet als ze de netten gaan binnen halen, morgen-ochtend vroeg.

De meisjes vragen honderd uit aan de visser. Of het niet ge-vaarlijk is met zo'n klein scheepje en wanneer hij eigenlijk slaapt. Df hij nooit bang is en of er van zijn familie ook mensen verdronken zijn. Marinusse doet zijn best om een beetje ver-staanbaar Nederlands te spreken en de meisjes kunnen hem wel zo'n beetje volgen. Meneer Verhage legt het soms nader uit.

Ja, een visser is ook wel eens bang. Wanneer zwaar weer voor-speld wordt vaart hij niet uit. De weerberichten over de radio zijn dus van grote betekenis voor hem, ook al vult hij ze aan met zijn eigen kijk op wind en golven. Uit Breskens zijn niet veel mensen verdronken. Daar zijn veel meer mensen omgekomen op het eind van de oorlog. Maar met de visserij gaat het moeilijk. Vroeger waren er veel meer, ook vanuit Vlissingen en zelfs uit Veere. Die uit Arnemuiden zijn allemaal naar Vlissingen gegaan en die uit Veere naar Colijnsplaat. Maar de kosten van een schip en van een knecht zijn gestegen. Je zou eigenlijk een heel groot schip moeten bouwen met koelcellen aan boord, zodat je vier of vijf dagen achter elkaar kon vissen. Ze verliezen teveel tijd met heen en weer varen met die kleine scheepjes en de vis brengt nauwelijks genoeg op.

Ja, klagen kunnen ze goed, Marinusse en zijn zoon. Maar ze zeggen toch ook eerlijk dat ze geen ander vak willen kiezen. En wat het gevaar betreft, ja, dat is er nog altijd. De beste weerberichten kloppen soms niet. Er kan hier onverwacht een harde wind opsteken, en dan is het erg moeilijk om nog wat te vangen vóór je terug moet.

„Ik vind dat het hier nu óók aardig schommelt," zegt meneer Verhage. Maar de visser en zijn zoon lachen. Dat is niets vergeleken bij wat in het najaar moet worden doorstaan! Dan zou je, als je geen geloof had in Gods leiding, soms de wanhoop ten prooi vallen. De meisjes begrijpen het wel. Vissers zijn vrijwel altijd gelovige mensen. Ze zijn in feite altijd in gevaar. Dat is weliswaar bij alle mensen zo, maar aan land zie je dat niet zo en denk je er vaak niet aan...

„Komaan, wij moeten aan het werk!" zegt de visser. „Jullie amuseren je maar!"

Nou, voor meneer Verhage is de lol er gauw af. Hij heeft een paar boterhammen gegeten en een kopje koffie gedronken uit de ketel die op het gasstel in de kombuis stond, maar het bekomt hem slecht. O, wat voelt hij zich ziek en akelig. En terwijl de zon ondergaat in prachtige kleuren, ligt die arme meneer Verhage wit en misselijk te rillen in zijn slaapzak op een bank in de kombuis! Joke en Loesje zitten er schuldbewust bij; waarom hebben ze er zo op aangedrongen dat ze gingen varen?

En wat doet Marion eigenlijk? Die zit, draaierig, op het dek en vijf minuten later moet ze overgeven. Over de rand van het boord hangt ze en ze is net zo akelig en ziek als meneer Verhage! Rillend kruipt ze in haar slaapzak op de andere bank. Wat beteuterd kijken Joke en Loesje toe.

Maar dan grijpt Krien, de vissersjongen in. Hij haalt een stenen potje uit het kastje onder het gasstel. Met een lepel haalt hij een flinke schep uit het potje en houdt dat Marion voor. „Appen!" zegt hij.

Marion haalt de schouders op. Wat bedoelt hij?

„Je moet happen, suffie!" zegt Joke. Na enig aarzelen hapt Marion. Het spul smaakt verschrikkelijk vies, maar ze durft niet te weigeren. Ten einde raad neemt ook meneer Verhage een lepel vol van het spul. En dàt helpt! Na een kwartiertje is hun maag tot bedaren gekomen en ze voelen zich weer helemaal fit. Ook voelen ze opeens geen kou meer.

Wat is dat voor spul? Dat wil meneer Verhage graag weten!

De visser vertelt het hem: „Da' bin gedroogde kreukels!" En dat is het beste middel tegen zeeziekte!

Vol afgrijzen staart meneer Verhage hem aan. Ja, maar of hij het nou vies vindt of niet, het heeft geholpen. Nu willen de meisjes óók graag weten wat gedroogde kreukels zijn. Meneer Verhage legt het hun uit. Aan de stenen dijkglooiingen zetten in het zoute water zich slakken af. Die heten in het Nederlands alikruiken, in het Zeeuws kreukels en krukels. Die worden gestampt en gedroogd en met huisje en al gegeten tegen zeeziekte ... Verschrikkelijk!

Nu de netten uitgezet zijn valt de duisternis gauw in. Ons viertal zit wat te soezen in de kombuis, heen en weer gewiegd door de zee. Tegen vier uur in de morgen worden ze wakker. Het begint alweer helemaal licht te worden. Al draaiend aan de lier halen Marinusse en zijn zoon het grote net binnen. Ja, nu mogen ze best een handje helpen. Pak het net maar beet bij de verschansing en zorg dat het zonder slagen naar binnen komt. Tenslotte komt het laatste stuk met een menigte vis van allerlei soort. Terwijl de vangst in de grote bakken wordt gestort gaan ze uitzoeken. Kleine en oneetbare vis wordt weer overboord gegooid; de rest wordt gesorteerd in bakken en dan maken ze nog een tweede trek, een derde.

Met afgrijzen kijken Joke, Loesje en Marion toe hoe de visser en zijn zoon zomaar die glibberige vissen beetpakken. „Toe maar, ze bieten niet!" roept de jongen. Na veel aarzelen helpen ze dan toch een handje. Voorzichtig tilt Marion een vis op aan zijn staart en legt hem voorzichtig in een bak!

Meneer Verhage is minder kieskeurig. Hij helpt de vis sorteren alsof hij het elke dag doet. Intussen is de zon alweer boven de kim en je voelt de warme stralen al duidelijk. Na de laatste trek met het net drinken ze met z'n allen gezellig koffie aan boord. Hoe laat is het nu? Hoe bestaat het! Al negen uur! Zachtjes aan tijd voor de terugreis.

Beleeft de visser wel eens wat met zijn vangst? Och ja, zo af en toe vangt hij wel eens een zeldzaam dier, dat aan de wal aan liefhebbers verkocht wordt om opgezet of geprepareerd te worden. Maar een jaar geleden, toen beleefde hij een angstig avontuur. In de morgenschemering was men het net aan het binnenhalen, toen Krien opeens zag dat er een heel grote ronde bal in het net zat! Ze wisten allebei wat dat betekende: een mijn! Dat is een bol die ontploffen kan en die een houten scheepje gemakkelijk kapot kan slaan. Die mijnen werden in de oorlog uit vliegtuigen in zee geworpen om de vijand er schade mee te doen. Ze zijn lang niet altijd terug gevonden. Ze slaan wel eens los van hun ankers en gaan drijven. Zo komen ze terecht in de netten.

Nou, Krien en zijn vader beseften meteen wat er aan de hand was. Ze zetten de motor af en lieten zich drijven. Meteen gaven ze lichtsignalen. Dat zijn vuurpijlen die ze kunnen afschieten als ze in nood zijn. En dat waren ze. Want de mijn hing in het net en bij iedere beweging van het scheepje sloeg hij zachtjes tegen de wand aan.

Al spoedig waren er toen andere vissers ter plaatse en die waarschuwden de marine. Die kwam met een snelle boot en eerst moesten ze allebei overstappen. Dat doet een visser niet gauw, maar er zat niets anders op. Vervolgens werd het net teruggedraaid, tot de mijn weer vrij hing. Voorzichtig namen de marinemensen hem toen uit het net en mee naar de wal om onschadelijk te maken. Pas daarna mochten Krien en zijn vader weer terug aan boord.

„Die dag hebt u zeker niet veel gevangen?" vraagt Joke.

De visser glimlacht. „Nee, heel weinig. Maar op die dag heb ik geleerd, dat er maar één stap is tussen ons en de dood en dat ons leven in Gods hand is. Kijk, in één klap had alles weg kunnen zijn: Krien, ik, het schip. Het was prachtig weer en er was niets dat op gevaar leek. En tòch kwamen wij in het grootste gevaar dat wij ooit meegemaakt hebben. Zo heeft God ons geleerd af te zien van wat mensen zeggen en naar Hèm te luisteren."

Een uur later varen ze de haven van Breskens weer binnen. Oei, wat zijn ze moe, stijf en slaperig! Meneer Verhage bedankt de visser en zijn zoon en ze geven hun allemaal een hand en bedanken eveneens. Ze krijgen een kilo schol mee, om thuis schoon te maken en te eten.

In de auto vallen ze bijna in slaap. Spoedig zijn ze weer op de veerboot en een goed half uur later komen ze weer aan in Oostkapelle. Dan is het net twaalf uur. Weet je wat ze doen? Ze eten vlug een hap en ze gaan naar bed. Uitslapen! Ze zijn zo'n eind achter met hun slaap, dat ze er niets van horen dat de wind opsteekt en dat de regen tegen de ramen begint te kletteren. Ze slapen als ossen.

## 7. Besluit

Na die regendag verbetert het weer en het blijft goed. Hier aan de kust is er 's zomers meer zon dan in het binnenland, heeft meneer Verhage verteld. Dat scheelt wel een uur per dag met bijvoorbeeld de Achterhoek. Ook de Waddeneilanden zijn 's zomers erg droog, maar het is er wat kouder en het waait er veel meer.

Als ze fietstochten maken over het eiland zien ze, dat bijna alle dorpen een kerknaam hebben: Kleverskerke, Serooskerke, Aagtekerke, Mariekerke, Boudewijnskerke, Biggekerke, Koudekerke en nog meer. Meneer Verhage legt hun uit, dat in al die plaatsnamen een persoonsnaam zit, ook al weet men niet altijd welke dat is. Dat is de naam van de heer die de kerk bouwde en het dorp stichtte. Dat zal gebeurd zijn nadat de Noormannen zijn verdreven of gekerstend. Geen dorp is er zonder kerk en geen kerk zonder dorp. Dat wijst er op, dat het hier van bovenaf opgelegd is. Toch zijn de mensen niet zo modern als in vele andere streken van ons land. Op de dorpen wordt de zondag echt nog in ere gehouden en lopen de kerken 's zondags nog vol. Daar wordt God aangebeden en daar wordt Hij gedankt voor al het goede dat Hij ons dagelijks zendt. Ook de meisjes hebben elke dag reden om God te danken. Christientje wel in het bijzonder. Vader schrijft haar, dat mama heel goed reageert op de boslucht en zichtbaar opknapt. En dat is nog niet alles, want er bestaat kans dat vader overgeplaatst wordt. Dan gaan ze in Apeldoorn wonen omdat dat beter voor mama is. Als God het wil zal ze dan helemaal opknappen en vrijwel helemaal beter worden...

Maar dan raakt Christientje al haar vriendinnen kwijt! Dat vinden de anderen toch wel erg. Tja, ze moet in Apeldoorn straks maar opnieuw beginnen: een andere school, andere meesters, andere kennissen en vriendinnen. Maar daar heeft vader ook al aan gedacht. Hij schrijft, dat dat best voor elkaar komt en dat de vriendinnen volgend jaar maar eens in Apeldoorn moeten komen als ze vakantie hebben. Als ze niet met die grote vakantie komen dan met de paasvakantie of rond Kerst. Ja, dat zullen ze doen, dat is geweldig. Dan zien ze weer eens een heel ander deel van Nederland, waar heuvels zijn en bossen en heidevelden.

Die laatste dagen genieten de meisjes dubbel van de teruggekeerde zomerse warmte. Het is begin augustus en bij de boeren ronken de maaidorsers al over de velden. Ze maaien gerst en tarwe en gieten de rijpe korrels in laadkisten. Het stro wordt in een stofwolk uitgespuwd maar dan komt er een andere machine. Die perst er grote balen van. Maar aan het strand is het ook leuk en daar spelen de meisjes hele dagen. Je kunt er van alles doen: zonnebaden, zwemmen, pootjebaden, mossels of alikruiken zoeken langs de strandhoofden, een fort bouwen op de vloedlijn en dat verdedigen als het water weer op komt zetten en nog veel meer.

Weet je wat óók leuk is? Met een doodernstig gezicht in een boek liggen lezen. Maar onder de handdoek die je naast je hebt liggen zit een spuitbus vol met koud water. Als er iemand langs komt spuit je pst... een straaltje water over zijn rug. Het slachtoffer weet niet waar dat vandaan komt, kijkt rond en in de lucht, maar als de anderen giechelen loopt hij of zij boos door! Nou ja, je moet dit niet bij oude mensen doen natuurlijk!

Joke weet nog een heel ander grapje: een valkuil maken! Weet je hoe ze dat doen? Nou, dat gaat als volgt. In het zand graven ze een kuil van een halve meter diep en met steile kanten. Dan zoeken ze wat takjes in de duinen en leggen die er overheen. Over die takjes leggen ze kranten en op die kranten strooien ze droog zand. Nu kun je niets van de kuil zien, maar wie er aan komt lopen ploft er onherroepelijk in. Je moet natuurlijk oudere mensen waarschuwen, maar voor andere jongens en meisjes is het niets erg dat ze in het mulle zand ploffen en uitgelachen worden. Tenminste, dat denken de meisjes...

Net terwijl ze hun middagboterham opeten en wat limonade drinken, komt er een jongen van een jaar of twaalf aan lopen. Blonde kuif met sproeten en een wat brutaal gezicht. Hij draagt een rugzak in zijn hand. Daar zitten zeker al zijn spullen in en hij is zeker op weg naar de tent of het windscherm van zijn vriendjes of ouders. Hij loopt op een drafje en... plof! Ineens zakt de grond onder hem weg en hij valt. De meisjes gillen van de lach! Het is geen gezicht, die verbaasde jongen die daar in het zand ligt en blijkbaar nog

maar half snapt wat er gebeurd is. Wat wordt hij uitgelachen!

Maar dit loopt anders af dan de meisjes denken. Want als
hij probeert op te staan valt hij direct weer neer. „Au! Au!”
gilt hij. „Main foes toet wee! Au, au!”

„Hoor je dat? Die vent praat Zeeuws!” zegt Christientje belangstellend en ook ietwat spottend. Ze heeft blijkbaar nog
niet in de gaten hoe erg het met de jongen is.

„Nee sufferd!” zegt Marion, want die is wel eens meer bij
haar tante geweest en weet dus wat ze hier praten. „Dat
is Duits en het wil zeggen dat zijn voet zeer doet.”

Nu schrikken de meisjes geweldig. Blijkbaar is het een Duitse
jongen. Dat kan wel, want het wemelt hier 's zomers van de
Duitse badgasten en vakantiegangers. Maar nu heeft dat
ventje zijn voet verstuikt en niet zo weinig ook! Hij kan niet
eens meer lopen! Wat nu te doen? Het is hùn schuld en als
er politie bijkomt...

Het jongetje zegt dat hij terug wil naar het dorp. Daar is
de bungalow waar zijn ouders logeren en als hij daar maar
eenmaal is wordt er wel verder voor hem gezorgd. De meisjes verstaan hem maar half, maar ze begrijpen het best. En
uit angst voor straf zijn ze een en al gedienstigheid. Ze breken
hun windscherm af, pakken hun spullen in en intussen haalt
Marion een bolderwagen. Dat is een kleine wagen op vier
wielen die je in het dorp kunt huren. Die gebruiken de
vakantiegangers vaak als ze met hun hele hebben en houden
naar het strand trekken. Ze hoeven het dan niet te dragen.

Na een half uur is Marion terug met de bolderwagen. Daar
gaat de arme jongen in zitten en met vereende krachten trekken ze de wagen door het mulle zand tot ze aan de duinovergang komen. Dan halen ze hun spullen op en dan gaat
het weer verder. Gelukkig, honderd meter verder is een ver-
hard pad. Daar rijdt de wagen gemakkelijk. Maar intussen
zijn ze doodmoe en het zweet gutst van hun gezichten af. Verschrikkelijk, is dat werken! Intussen heeft het knaapje ver-

teld, dat hij Hans heet en „aus Berlien kommt". Dat begrijpen ze wel. Na veel zwoegen komen ze eindelijk aan de bungalow onder de bomen. De torenklok in de verte slaat net twee uur . . .

Maar dat is gek: als ze er aan komen zien ze een jongen van een jaar of zestien opstaan vanuit zijn ligstoel op het grasveld. En die zegt in zuiver Nederlands: „Maar wat mankeert jou, Kees? Heb je zoveel meisjes nodig om je naar huis te rijden? Hoe krijg je ze zo gek?"

De meisjes staan stomverbaasd. En opeens springt Hans, die dus Kees heet, vrolijk uit de bolderwagen en hij zegt: „Bedankt, meisjes! Het was een heerlijk tochtje en ik was veel te moe om van het strand helemaal hier naar toe te lopen! En dat bij zo'n hitte! Foei! Als jullie nòg eens een valkuil maken hou ik me aanbevolen!"

Zijn broer snapt er niets van. Ook de meisjes hebben even tijd nodig om te snappen, dat die jongen hen lelijk bij de neus heeft genomen! Opeens proest Christientje het uit van de lach en de anderen ook. Ze nemen hun verlies sportief op. En ze trekken gauw af met rode hoofden als ze uitgelachen worden door Kees en zijn broer. Gauw de bolderwagen terug brengen, want dat kost geld. En dan toch maar weer terug naar het strand . . . Net doen alsof er niets gebeurd is en . . . geen valkuilen meer graven. Stel je voor dat er eens ècht iemand zijn enkel verstuikte of een been brak! Dat gebeurt wel niet zo gauw in het mulle zand, maar het zou kunnen.

's Avonds vertellen ze aan tante Suus hun avontuur. Die moet er eindeloos om lachen, vooral als ze hoort welk een verschrikkelijk eind het was, van het strand naar het bungalowpark. En intussen lag die Kees maar prinsheerlijk te genieten en hij liet zijn plaaggeesten trekken . . .

En dat is dan de laatste dag. De volgende dag is een zaterdag. Dan moeten ze allemaal weer naar huis. Dat vinden ze verschrikkelijk jammer. Maar toch is ook dit een fijne dag.

61

De vaders van Marion en van Christientje komen allebei met hun grote auto. Op de imperialen boven op de auto's komen de koffers. De meisjes zelf kunnen best in de auto's.
Het wordt een hartelijk afscheid van tante Suus en van Oostkapelle. Ze hebben er veel genoten en ook wat geleerd. Ze zullen er vast nog eens terugkomen.